55道

[法]弗兰克·施米特　编著

刘雯雯　译

健康美味正宗烤串

轻松做

中国农业出版社

CHINA AGRICULTURE PRESS

北　京

图书在版编目（CIP）数据

55道健康美味正宗烤串轻松做 ／（法）弗兰克·施米特编著；刘雯雯译. —北京：中国农业出版社，2020.7
（全家爱吃快手健康营养餐）
ISBN 978-7-109-26687-2

Ⅰ．①5… Ⅱ．①弗… ②刘… Ⅲ．①烧烤－菜谱 Ⅳ．①TS972.129.2

中国版本图书馆CIP数据核字（2020）第044305号

Title: SPECIAL BROCHETTES
By Franck Schmitt
Series: 3 ingrédients / 15 minutes
EAN 13: 9782035926340
© Larousse 2016
And the following reference for each published title:
Simplified Chinese edition arranged through DAKAI - L'AGENCE

本书中文版由法国拉鲁斯出版社授权中国农业出版社独家出版发行，本书内容的任何部分，事先未经出版者书面许可，不得以任何方式或手段刊登。

合同登记号：图字 01-2019-6038 号

策　划：张丽四　王庆宁
编辑组：黄　曦　程　燕　丁瑞华　张　丽　刘昊阳　张　毓
翻　译：四川语言桥信息技术有限公司
排　版：北京八度出版服务机构

55道健康美味正宗烤串轻松做

55 DAO JIANKANG MEIWEI ZHENGZONG KAOCHUAN QINGSONG ZUO

中国农业出版社出版
地址：北京市朝阳区麦子店街 18 号楼
邮编：100125
责任编辑：黄　曦
责任校对：赵　硕
印刷：北京缤索印刷有限公司
版次：2020 年 7 月第 1 版
印次：2020 年 7 月北京第 1 次印刷
发行：新华书店北京发行所
开本：710mm×1000mm　1/16
印张：6.5
字数：110 千字
定价：39.80 元

INTRO
美味
抢先看
DUCTION

百分百正宗烤串！
100% BROCHETTES！

　　无论是春季回暖时节还是严冬腊月，烤串永远是我们的最佳伴侣。既可以用烤架、铁板、火炉烤着吃，也可以不用烧烤工具制作……烤串真的是一种特别适合和亲朋好友共享的美食。在这本书中，从开胃菜到甜点，您不仅能看到经典烤串，更能发现其他新奇配方。只需简单的原材料和准备工作，就能做出好吃的新奇烤串。

　　只需要3~5种食材，再加上几种调料，您就可以做出点亮日常生活的美味小烤串。就算十几二十分钟的制作时间也充满幸福滋味，这样简单又好吃的烤串，还有什么理由拒绝呢?

　　在本书的开胃菜菜单中，您可以找到李子干配羊肉猪肉串、腌苹果配鹅肝串，此外还有以鱼肉、猪肉甚至蔬菜为原料的其他选择！所有挑逗味蕾的烤串组合，如鱼肉配乔利佐香肠、海陆大杂烩、血肠配苹果……等您来发现。另外，享受番茄牛肉这一经典组合的同时，也别忘记尝一尝菠萝配猪肋肉的奇妙甜咸风味……

　　在甜点小串中，我们设计了一些好吃又好玩的烤串，保证老少皆宜。比如用Carambar品牌糖果（一种著名的法国软糖）和斯派库鲁斯焦糖饼干做的拔丝苹果，还有吐司烤串。现在主场交给您了，是时候大显身手了！

目录
SOMMAIRE

炭灰羊奶酪

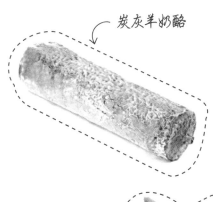

香芹

薄切熏肉

李子干

肉类精选

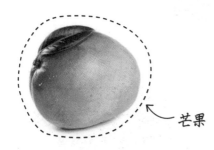

芒果

迷迷香

鱼肉、甲壳类精选

蔬菜精选

甜点小串

黑巧克力

草莓

棉花糖

PIQUES DE DINDE,
champignon et pancetta

我的调料小铺

　　以下是一些您应该常备的基础调料。再加上几样精心挑选的食材，您就可以做出既便宜又美味的菜肴。

法式芥末酱

醋（香醋、果醋……）

香料：普罗旺斯混合香料（含罗勒、迷迭香、墨角兰、牛至叶、百里香与薄荷、鼠尾草、小茴香等）

油（橄榄油、调和油或其他食用油）

盐和胡椒

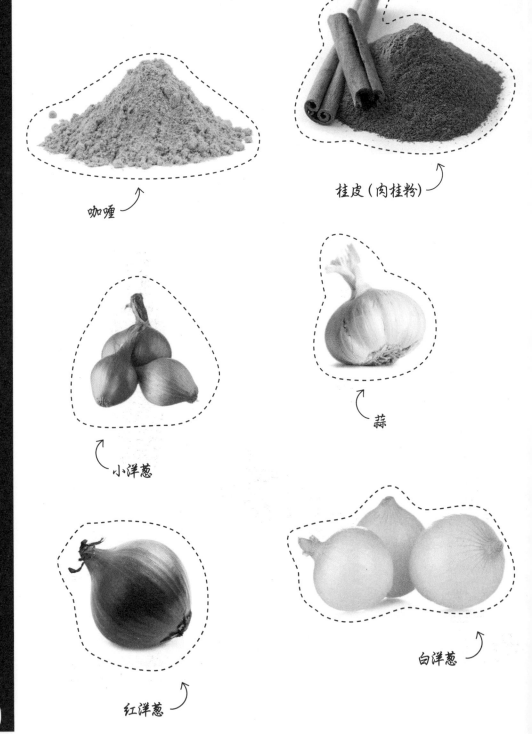

咖喱

桂皮（肉桂粉）

小洋葱

蒜

红洋葱

白洋葱

香草糖

糖霜

蜂蜜

小麦粉

糖（白糖、红糖……）

玉米淀粉

我的鲜品 *Mes produits frais*

牛奶

法式稠奶油

酸奶

稀奶油

鸡蛋

黄油

牛油果
西蓝花
鸡蛋
洋葱
柠檬
土豆
莙荙菜
苹果

南瓜
萝卜根芹菜
黄瓜
西葫芦
茄子
火腿肉
牛油果

芸豆

RAISINS
芦笋
橙子
盐
米饭

韭葱
小牛肉 火鸡肉
蘑菇
甜椒
鸭肉
奶酪

无青

APÉRITIFS ET ENTRÉES

开胃菜

ROULÉS DE LARD FUMÉ
aux pruneaux et chèvre cendré

李子干奶酪熏肉卷

炭灰羊奶酪 150克

香芹 若干

李子干 16颗

薄切熏肉 8片

... ET AUSSI UN PEU DE

再加上：

胡椒粉少许

C'EST PARTI ! 制作开始！

1 将羊奶酪切丁，熏肉片对半切开，将李子干裹入半片熏肉中，烤制5分钟。

2 按照顺序将2块奶酪和1卷熏肉串起。撒上香芹末和胡椒粉。

CONSEILS
小贴士

如没有李子干，也可用西梅干或其他合口味的果脯代替。

TRIO DE FOIE GRAS,
pomme confite et raisin

腌苹果葡萄鹅肝串

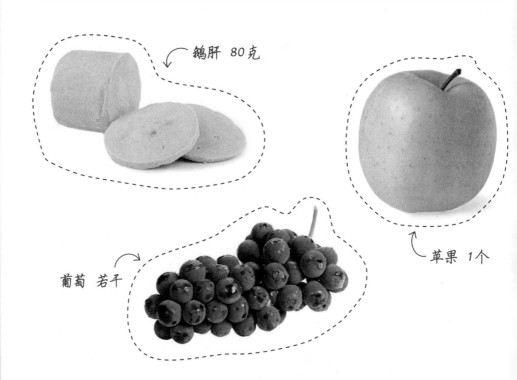

鹅肝 80克

苹果 1个

葡萄 若干

... ET AUSSI UN PEU DE

再加上：

黄油 10克
糖 80克

C'EST PARTI ! 制作开始!

1 将苹果切成大块，加入黄油、糖和一小勺水一起煮。10分钟后搅拌均匀，出锅冷却。

2 将葡萄切成两半，鹅肝切片后，再将每块切成4份。

3 按照一块苹果、一块鹅肝和半个葡萄的顺序串成串，即可食用。

BROCHETTES DE FENOUIL,
tomates confites et feta
茴香腌番茄奶酪串

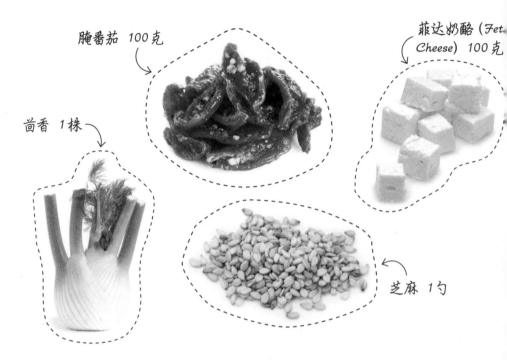

腌番茄 100克

菲达奶酪（Feta Cheese）100克

茴香 1株

芝麻 1勺

C'EST PARTI！制作开始！

1 将茴香切成小块，菲达奶酪切大块。

2 按照茴香、奶酪和腌番茄的顺序串成串。撒上芝麻。

 VARIANTE 其他做法

如果觉得口味太淡，不妨试试油浸菲达奶酪的做法，记得将油水沥干！

CONSEILS
小贴士

菲达奶酪是希腊享誉世界的著名奶制品。可在一些大型精品超市买到，如没有也可使用其他奶酪代替。

CRUDITÉS DE RADIS NOIR,
concombre et chou-fleur à l'asiatique
亚洲风味萝卜黄瓜菜花串

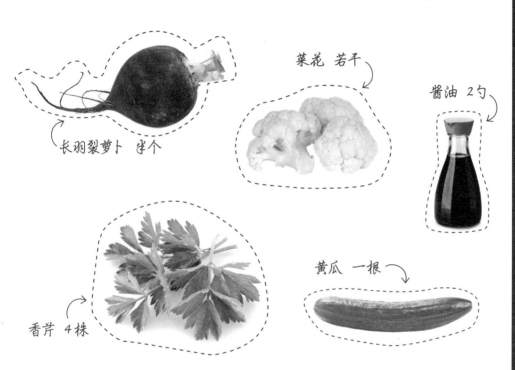

菜花 若干

酱油 2勺

长羽裂萝卜 半个

黄瓜 一根

香芹 4株

... ET AUSSI UN PEU DE

再加上：

蒜 1瓣

C'EST PARTI ! 制作开始！

1 将长羽裂萝卜去皮、切块，黄瓜切片。

2 按照萝卜、黄瓜和菜花的顺序串成串。

3 将香芹、蒜瓣和酱油混合，捣碎制成酱料，涂抹于串上后食用。

ROULÉS DE SAUMON FUMÉ,
pomme de terre et fromage frais

土豆奶酪熏三文鱼卷

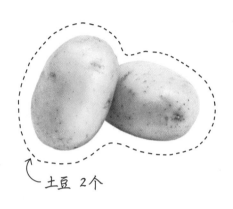

↑ 土豆 2个

香草奶酪 8块

香葱 若干

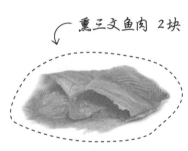

熏三文鱼肉 2块

C'EST PARTI ! 制作开始!

1 倒水进锅,加盐。待水烧开后,将土豆去皮、切块倒入锅中煮20分钟。出锅冷却。

2 将熏三文鱼块切成带状后卷起奶酪。按照奶酪、三文鱼卷、土豆的顺序串成串。

3 撒上葱末,即可食用。

 ASTUCE 小诀窍

使用隔夜的熟土豆,口味更佳!

开胃菜

PIQUES DE CAMEMBERT,
saucisson et carottes

胡萝卜奶酪腊肠串

卡芒贝尔奶酪 (Camembert) 四分之一块

胡萝卜 2根

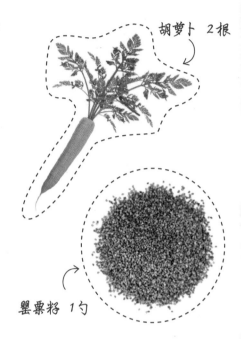

腊肠 16片

罂粟籽 1勺

... ET AUSSI UN PEU DE

再加上：

胡椒粉

C'EST PARTI ! 制作开始!

1 将卡芒贝尔奶酪切块。撒上罂粟籽和胡椒粉。将胡萝卜去皮、切成圆片。

2 按照奶酪块、腊肠片和胡萝卜片的顺序串成串。

 POUR SERVIR 招待来客

大火加热2分钟，即可上菜。

 CONSEILS
小贴士

1. 作为调料使用的罂粟籽为籽粒"灭活"后的香辛调味料，可以安全使用。

2. 卡芒贝尔奶酪是源于法国诺曼底地区的美味奶酪。如购买不到，也可用其他奶酪代替。

肉类精选

PIQUES DE POULET,
tomate et pomme de terre

番茄土豆鸡肉串

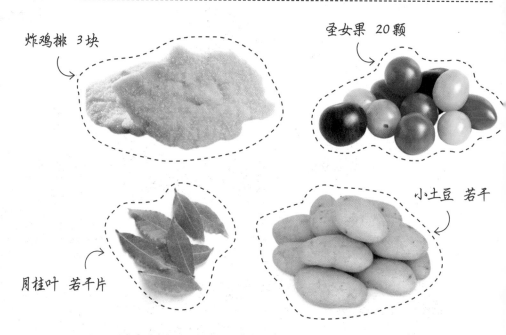

炸鸡排 3块

圣女果 20颗

月桂叶 若干片

小土豆 若干

... ET AUSSI UN PEU DE

再加上：

橄榄油 2勺
盐、胡椒粉少许

C'EST PARTI ! 制作开始!

1 将土豆去皮，切成四块，放入盐开水中煮10分钟后取出，沥干待用。

2 将炸鸡排切块待用。

3 按照土豆块、炸鸡排块、圣女果和月桂叶的顺序串成串。

4 浇上橄榄油，在铁板、烤架或火炉上烤制10分钟。

TERRE-MER POULET,
crevettes et lardons

鸡虾猪海陆三鲜串

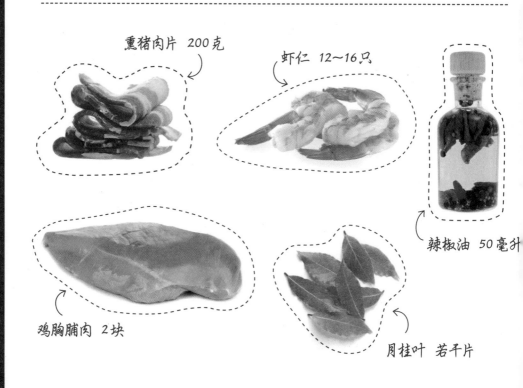

熏猪肉片 200克

虾仁 12~16只

辣椒油 50毫升

鸡胸脯肉 2块

月桂叶 若干片

... ET AUSSI UN PEU DE

再加上：

盐、胡椒粉少许

腌泡时间：10分钟

C'EST PARTI ! 制作开始!

1 将鸡肉切块，放入辣椒油、盐和胡椒粉，腌泡10分钟。

2 按照鸡肉块、虾仁、熏猪肉和月桂叶的顺序串成串。

3 在烤架或铁板上烤制10分钟。

CONSEIL 建议

虾仁可用生蚬虾代替，风味更佳。

BOUDIN NOIR À LA POIRE
et à l'oignon rouge

鸭梨洋葱黑血肠串

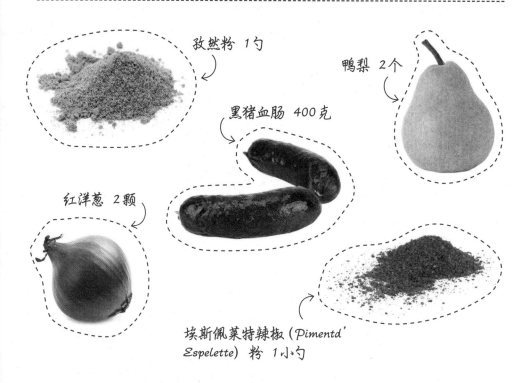

孜然粉 1勺

鸭梨 2个

黑猪血肠 400克

红洋葱 2颗

埃斯佩莱特辣椒 (*Piment d'Espelette*) 粉 1小勺

... ET AUSSI UN PEU DE

再加上:

盐、胡椒粉少许

C'EST PARTI ! 制作开始!

1 将鸭梨去皮、去核、切块。将洋葱去皮,切成4块。

2 按照梨块、洋葱和血肠的顺序串成串。撒上辣椒粉、孜然、盐和胡椒粉。

3 在烤架或铁板上烤制6分钟。

CONSEILS
小贴士

埃斯佩莱特辣椒是法国当地有名的辣椒品种,颜色油亮鲜红,微辣但果香十足,常被制成干辣椒和辣椒粉。

BROCHETTES DE CHORIZO,
filet mignon de porc et ananas
菠萝香肠猪排串

乔利佐香肠 (Chorizo)
或其他口味的香肠 100克

成片菠萝 半个

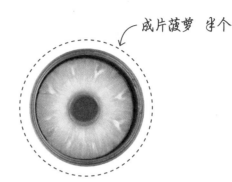

猪里脊肉
500克

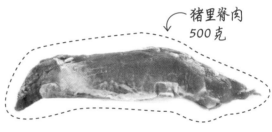

鼠尾草叶 若干片

... ET AUSSI UN PEU DE

再加上:

普罗旺斯混合香料 1勺
牛奶 500毫升
盐、胡椒粉少许

腌泡时间: 4小时

CONSEILS
小贴士

乔利佐香肠俗称"西班牙"
香肠, 是一种起源于伊比利亚的猪
肉香肠。可在大型精品超市买到,
如无法购买可用其他香肠代替。

C'EST PARTI ! 制作开始!

1 将里脊肉放入牛奶中, 加入普罗旺斯
混合香料, 腌泡4小时后切块。将菠萝
切块。

2 按照里脊肉、菠萝块、乔利佐香肠片和
鼠尾草叶的顺序串成串。撒上普罗旺斯
混合香料、盐和胡椒粉。

3 在烤架或铁板上烤制15分钟。

肉类精选

29

BOUDIN BLANC À LA POMME
et au camembert

苹果奶酪白血肠串

白猪血肠 2根

鼠尾草叶 16片

苹果 2个

卡芒贝尔奶酪 半块

孜然粉 1小勺

... ET AUSSI UN PEU DE
再加上：

盐、胡椒粉少许

C'EST PARTI ! 制作开始！

1 将血肠切片、去皮。将苹果切块，无需去皮。将卡芒贝尔奶酪切成三角块状，再将每块横切成两块。

2 按照苹果块、血肠和鼠尾草的顺序串成串。撒上孜然粉、盐和胡椒粉。

3 在烤架或铁板上烤制3分钟后，串上奶酪，再烤制30秒即可。

KEBAB D'AGNEAU
et poulet

土耳其风味鸡羊肉串

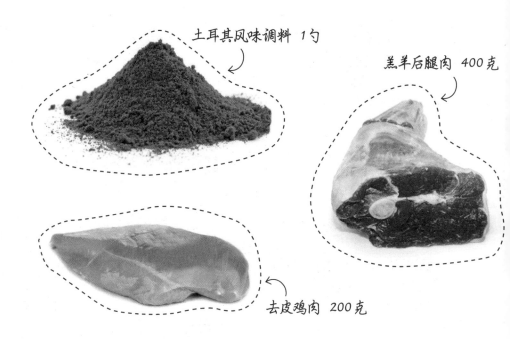

土耳其风味调料 1勺

羔羊后腿肉 400克

去皮鸡肉 200克

... ET AUSSI UN PEU DE

再加上：

洋葱 1只
橄榄油 5勺
牛奶 5勺
盐、胡椒粉少许

腌泡时间：12小时

 VARIANTE 其他做法

您也可以尝试将咖喱粉、辣椒粉（重辣或微辣）、红甜椒粉和孜然粉等量混合，制作属于您自己口味的调料。

C'EST PARTI ! 制作开始！

1 将羊肉和鸡肉切成薄片，浇上橄榄油和牛奶，撒上土耳其风味调料、盐和胡椒粉后，腌泡12小时。将洋葱切厚片待用。

2 按照羊肉块、鸡肉块和洋葱块的顺序串成串。

3 在烤架上烤制15分钟。

4

肉类精选

32

PIQUES DE VEAU,
champignon et poivron

口蘑甜椒牛肉串

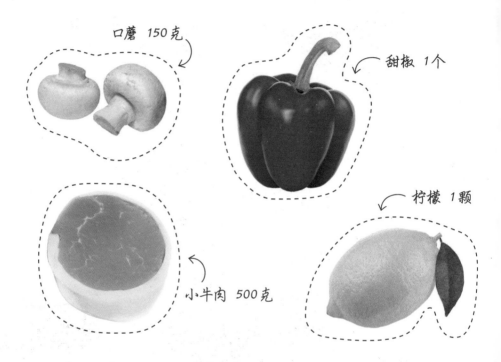

口蘑 150克

甜椒 1个

柠檬 1颗

小牛肉 500克

... ET AUSSI UN PEU DE

再加上：

百里香粉 1勺
橄榄油 5勺
盐、胡椒粉少许

腌泡时间：30分钟

C'EST PARTI！ 制作开始！

1 将小牛肉切块。口蘑去茎，切成两半。甜椒去籽、切块。

2 按照牛肉、蘑菇和甜椒的顺序串成串。将柠檬、橄榄油、百里香、盐和胡椒粉混合制成腌泡汁。将烤串放入，腌泡30分钟。

3 在烤架或铁板上烤制10～12分钟，期间不要忘记涂抹腌泡汁。

BROCHETTES D'AGNEAU,
figue et pruneau

无花果李干羊肉串

李子干 150克

羔羊肉（羊上脑或
羊肩肉）500克

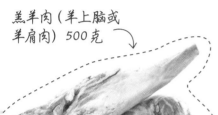

新鲜无花果 300克

迷迭香 4株

... ET AUSSI UN PEU DE

再加上：

盐、胡椒粉少许

C'EST PARTI！制作开始！

1 将羊肉切块。无花果去茎，切成4块。
李子干去核。

2 按照羊肉、无花果和李子干的顺序串成
串。撒上迷迭香末、盐和胡椒粉。

3 在烤架或铁板上烤制10分钟。

BROCHETTES DE BŒUF,
tomate et champignon
番茄口蘑牛肉串

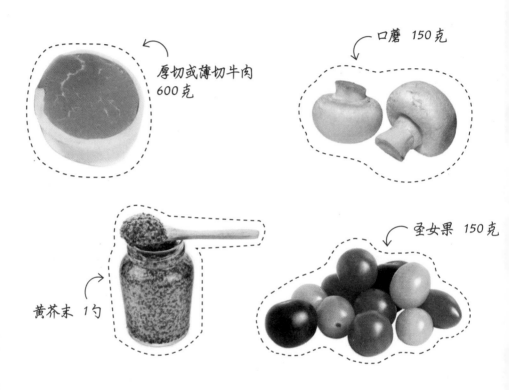

厚切或薄切牛肉 600克

口蘑 150克

黄芥末 1勺

圣女果 150克

... ET AUSSI UN PEU DE

再加上：

普罗旺斯混合香料 1勺
盐、胡椒粉少许

C'EST PARTI ! 制作开始！

1 将牛肉切块，蘑菇去茎后切成两半。

2 按照牛肉、蘑菇和番茄的顺序串成串。
涂上芥末酱，撒上盐、胡椒粉和普罗旺斯混合香料。

3 在烤架或铁板上烤制6~8分钟。

4

肉类精选

TRAVERS DE PORC
à la mangue et sauce au miel
蜂蜜芒果猪肋串

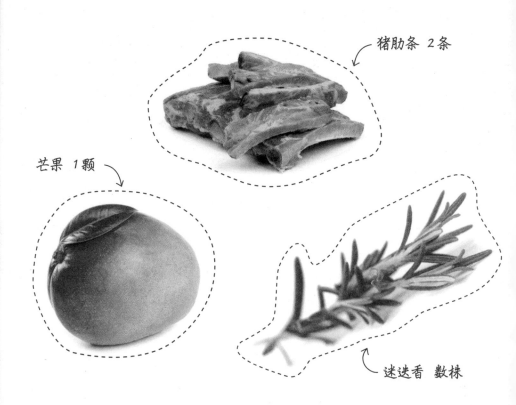

猪肋条 2条

芒果 1颗

迷迭香 数株

... ET AUSSI UN PEU DE

再加上:

蜂蜜 50克
盐、胡椒粉少许

C'EST PARTI ! 制作开始!

1 将芒果去皮、切块。

2 将猪肋条连着串一起,再按顺序在每根竹签头上串上一块芒果和一株迷迭香。涂上蜂蜜,撒上盐和胡椒粉。

3 在烤架或铁板上烤制15~20分钟。

准备时间 00:10   烹调模式 00:15

CANARD AUX ABRICOTS
et à l'orange

杏干橙子鸭肉串

橙子 2个 →

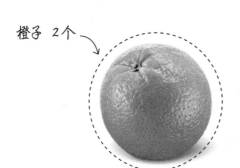

← 杏干 150克

鸭里脊 2条 →

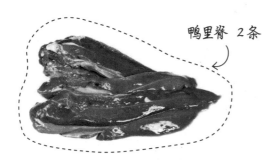

孜然粉 1勺 ↗

... ET AUSSI UN PEU DE

再加上：

蜂蜜 3勺
橄榄油 3勺
盐、胡椒粉少许

腌泡时间：60分钟

CONSEILS
小贴士

因需用到橙子皮调配腌泡汁，所以在选择橙子时，首选有机无农残的橙子。

C'EST PARTI ! 制作开始!

1 将鸭肉切成条状。

2 将橙子半去皮后榨汁。将橙汁、洗净的橙皮、蜂蜜和孜然粉混合，制成腌泡汁。

3 将鸭肉和杏干串成串，腌泡10分钟。

4 将串好的串浇上橙汁放在烤架或铁板上烤制10分钟。

PICATAS DE VEAU,
lard et sauge
鼠尾草熏猪牛肉串

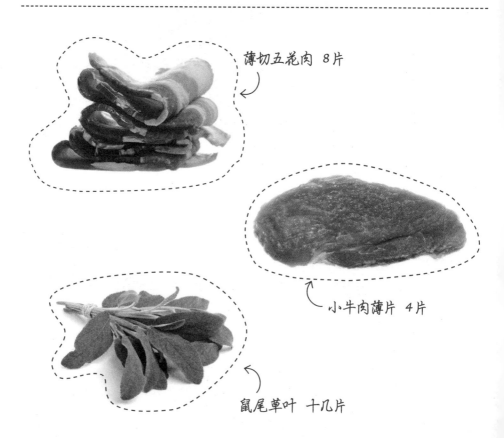

薄切五花肉 8片

小牛肉薄片 4片

鼠尾草叶 十几片

... ET AUSSI UN PEU DE

再加上:

盐、胡椒粉少许

C'EST PARTI ! 制作开始!

1 将牛肉切成小块后,用五花肉片将牛肉块和鼠尾草叶卷起。

2 将肉卷串成串,撒上少量盐、大量胡椒粉。

3 将串好的串放在烤架或铁板上烤制10分钟。

BROCHETTES DE MERGUEZ,
lardon et piment doux

甜椒香肠肉丁串

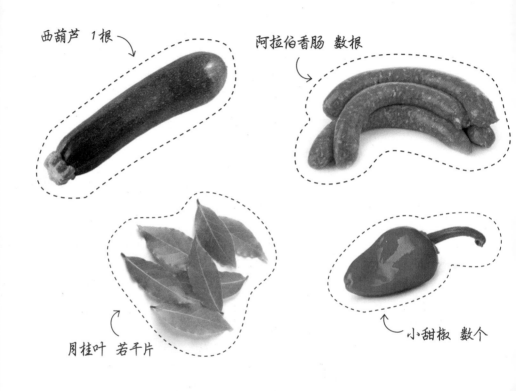

西葫芦 1根

阿拉伯香肠 数根

月桂叶 若干片

小甜椒 数个

... ET AUSSI UN PEU DE

再加上：

普罗旺斯混合香料 1勺

C'EST PARTI ! 制作开始！

1 将每根香肠切成3～4块。西葫芦切块。
甜椒去籽，切块。

2 按照香肠、西葫芦、甜椒和月桂叶的顺
序串成串，撒上普罗旺斯混合香料。

3 将串好的串放在烤架或铁板上烤制
10分钟。

BŒUF MARINÉ AU PESTO
à la plancha
铁板香蒜牛肉串

牛里脊肉 600克

红洋葱 1颗

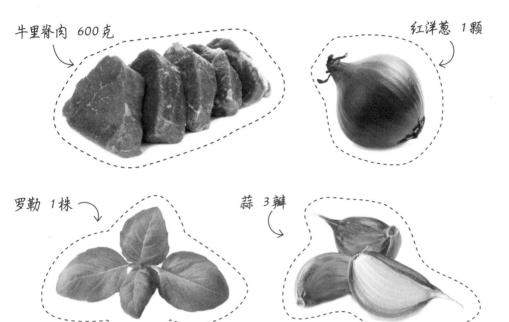

罗勒 1株

蒜 3瓣

... ET AUSSI UN PEU DE

再加上：

橄榄油 50毫升
盐、胡椒粉少许

腌泡时间：15分钟

C'EST PARTI！ 制作开始！

1 将蒜瓣、罗勒混合，加入盐和胡椒粉，捣碎制成香蒜酱。牛肉切块。洋葱去皮、切块。

2 将牛肉和洋葱串成串，抹上香蒜酱，腌泡15分钟。

3 将串串放在铁板上烤制5～7分钟。烤后牛肉可带血，不需烤至全熟。

 CONSEIL 建议

香蒜酱还可以搭配米饭或蒸土豆食用。

PIQUES DE DINDE,
champignon et pancetta
口蘑培根火鸡串

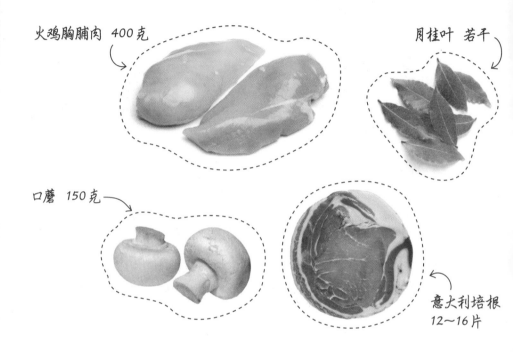

火鸡胸脯肉 400克

月桂叶 若干

口蘑 150克

意大利培根
12~16片

... ET AUSSI UN PEU DE
再加上：

普罗旺斯混合香料 1勺
胡椒粉

C'EST PARTI！制作开始！

1 口蘑去茎，切成4块。火鸡肉切块，培根肉片折四折。

2 按照口蘑、火鸡肉和培根的顺序串成串后，再插上几片月桂叶。撒上普罗旺斯混合香料和胡椒粉。

3 在烤架或铁板上烤制10分钟。

 VARIANTE 其他做法

可以根据您的个人口味喜好，自定义烤串的大小。

准备时间 00:10 烹调模式 00:10

POULET TANDOORI
aux abricots secs

杏干印度烤鸡肉串

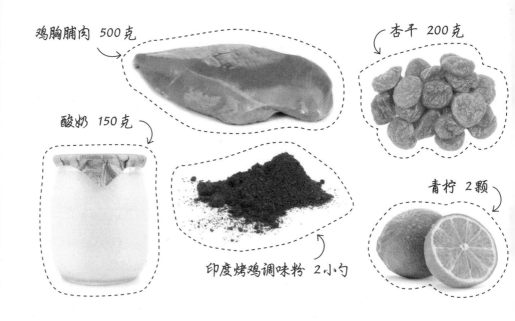

鸡胸脯肉 500克

杏干 200克

酸奶 150克

青柠 2颗

印度烤鸡调味粉 2小勺

... ET AUSSI UN PEU DE

再加上：

盐、胡椒粉少许

腌泡时间：4小时

C'EST PARTI ! 制作开始！

1 取1颗青柠榨汁，和酸奶、调味粉、盐和胡椒粉混合，制成腌泡汁。鸡肉切块。1颗青柠切片。

2 按照鸡肉、杏干和青柠片的顺序串成串。放入腌泡汁中腌泡4小时。

3 将串串放在烤架或铁板上烤制10～12分钟。

 POUR SERVIR 招待来客

可搭配米饭或柠檬风味蔬菜沙拉。

BROCHETTES DE SAUCISSE,
bacon et poivrons

甜椒红肠培根串

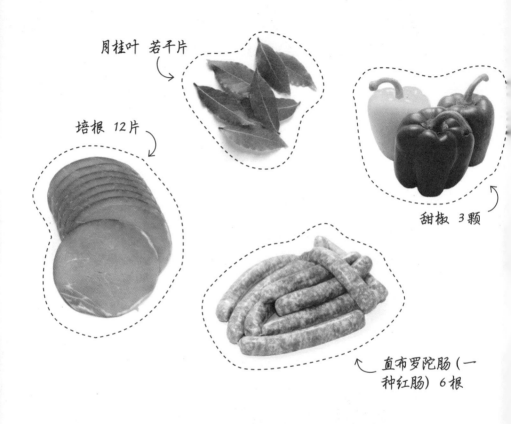

月桂叶 若干片

培根 12 片

甜椒 3 颗

直布罗陀肠（一
种红肠）6 根

... ET AUSSI UN PEU DE

再加上：

普罗旺斯混合香料 1 勺

C'EST PARTI ! 制作开始!

1 将每根红肠切成 3~4 份。甜椒去籽、切块。

2 按照红肠、培根（对折）和甜椒的顺序串成串，再插上几片月桂叶。撒上普罗旺斯混合香料。

3 将串串放在烤架或铁板上烤制 10 分钟。

准备时间 🕐 00:10   烹调模式 🍳 00:10

FILET MIGNON AUX POMMES

ananas et sauce au curry

苹果菠萝咖喱牛肉串

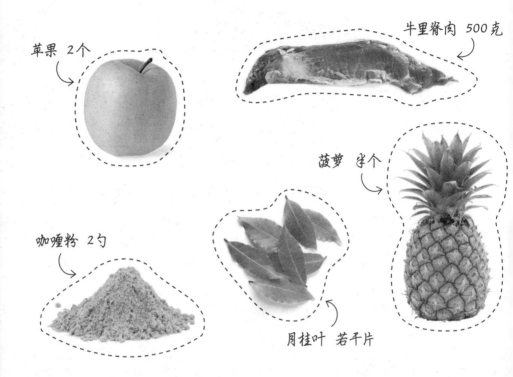

苹果 2个

牛里脊肉 500克

菠萝 半个

咖喱粉 2勺

月桂叶 若干片

... ET AUSSI UN PEU DE

再加上：

酸奶 200克，
盐、胡椒粉少许

C'EST PARTI ! 制作开始！

1 将牛肉、苹果和菠萝切块。

2 将酸奶、咖喱粉、盐和胡椒粉混合，制成腌泡汁。

3 按照牛肉、苹果和菠萝串成串后，再插上几片月桂叶。抹上腌泡汁。

4 将串串放在烤架或铁板上烤制12～15分钟。

 POUR SERVIR 招待来客

可搭配香米烧制的菠萝苹果肉饭或葡萄干饭。

KEFTAS
à la coriandre

香芹科夫塔肉丸串

香芹 1株

牛肉末 400克

孜然粉 1小勺

... ET AUSSI UN PEU DE

再加上：

洋葱 1颗
蒜 1瓣
盐、胡椒粉少许

C'EST PARTI ! 制作开始！

1 将洋葱、蒜瓣和香芹混合捣碎，再加入牛肉末，撒上孜然粉，混合均匀后搓成肉丸。

2 将肉丸一颗颗串起。

3 将肉丸串放在烤架或铁板上烤制8～10分钟。

鱼肉、甲壳类精选

BROCHETTES DE SAUMON,
lard fumé et courgette

西葫芦三文鱼熏肉串

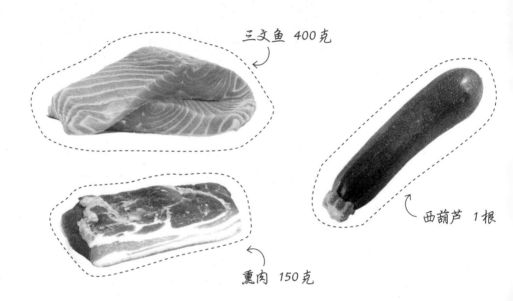

三文鱼 400克

西葫芦 1根

熏肉 150克

... ET AUSSI UN PEU DE

再加上：

蒜 1瓣
普罗旺斯混合香料 1勺
橄榄油 50毫升
盐、胡椒粉少许

POUR SERVIR 招待来客

可搭配番茄沙拉或香米饭食用。

C'EST PARTI ! 制作开始！

1 将三文鱼、熏肉和西葫芦切块。

2 按照顺序将这三种食材串成串。撒上蒜末、普罗旺斯混合香料、盐和胡椒粉。抹上橄榄油。

3 在火炉或者烤架上烤制5分钟，注意受热均匀。

准备时间 00:10   烹调模式 00:10

TERRE-MER DE LOTTE,
chorizo et artichaut

洋蓟香肠鮟鱇鱼串

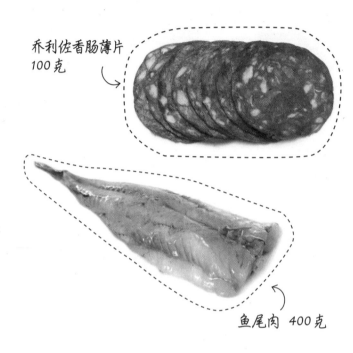

乔利佐香肠薄片
100克

油浸洋蓟菜心 200克

鱼尾肉 400克

... ET AUSSI UN PEU DE

再加上：

普罗旺斯混合香料 1勺
盐、胡椒粉少许

C'EST PARTI ! 制作开始！

1 将鮟鱇鱼肉切块，油浸洋蓟菜心切片。

2 按照鮟鱇鱼肉、乔利佐香肠和洋蓟的顺序串成串。撒上普罗旺斯混合香料、盐和胡椒粉。

3 将串串放在中火煎制10分钟或在烤架上烤5分钟。

CONSEILS
小贴士

鮟鱇鱼，又叫蛤蟆鱼、结巴鱼，是一种深海鱼，味道鲜美，被称为"海中鹅肝"。

ROULÉS DE SOLE,
champignons et carotte

口蘑萝卜龙利鱼串

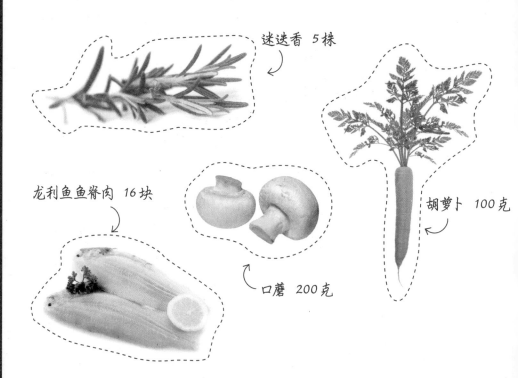

迷迭香 5株

龙利鱼鱼脊肉 16块

胡萝卜 100克

口蘑 200克

... ET AUSSI UN PEU DE

再加上：

盐、胡椒粉少许

C'EST PARTI ! 制作开始！

1 将龙利鱼肉卷成卷。口蘑切成两半。

2 按照龙利鱼肉卷、口蘑和胡萝卜块的顺序串成串。撒上迷迭香。

3 将串串放在铁板或锅里煎制3分钟，注意锅里要刷一层油。

 SUGGESTION 建议

可搭配法式鲜奶油食用，可在奶油中加入迷迭香末、盐、胡椒粉和柠檬汁或香醋。

鱼肉、甲壳类精选

60

BROCHETTES DE CREVETTE,
courgette et tomates
西葫芦番茄虾串

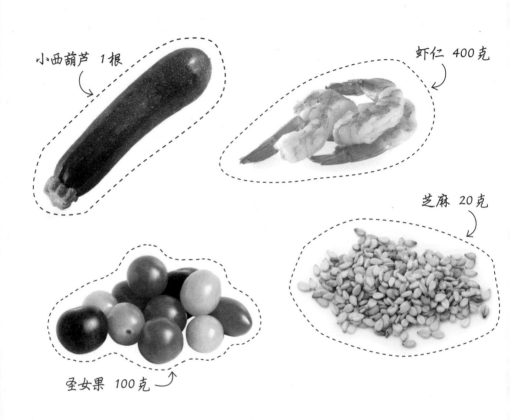

小西葫芦 1根

虾仁 400克

芝麻 20克

圣女果 100克

... ET AUSSI UN PEU DE
再加上：

橄榄油 2勺
盐、胡椒粉少许

C'EST PARTI ! 制作开始！

1 将西葫芦切成块状或者半圆形的厚片。

2 按照西葫芦、虾仁和圣女果的顺序串成串。撒上芝麻、盐和胡椒粉。

3 将串串放在铁板或烤架上烤制8~10分钟后，涂上一层橄榄油。

TRIO DE MAQUEREAU,
oignon et tomate
洋葱番茄鲭鱼串

4

00:10

烹调模式

00:06

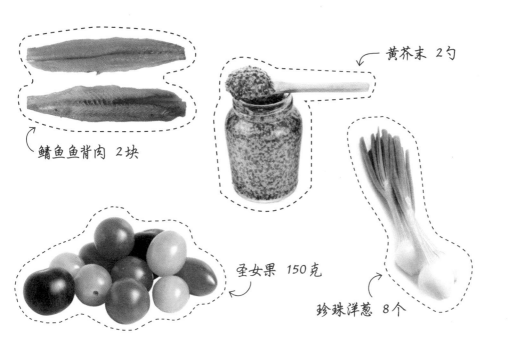

鲭鱼鱼背肉 2块

黄芥末 2勺

圣女果 150克

珍珠洋葱 8个

... ET AUSSI UN PEU DE

再加上：

普罗旺斯混合香料 1勺
盐、胡椒粉少许

C'EST PARTI！制作开始！

1 将每块鲭鱼肉切成3块，涂上芥末，撒上盐和胡椒粉。

2 将鲭鱼肉对折，按照鲭鱼肉、圣女果和珍珠洋葱的顺序串成串。撒上普罗旺斯混合香料、盐和胡椒粉。

3 将串串放在铁板或烤架上烤制5~6分钟。

ASTUCE 小诀窍

鲭鱼肉也可生吃

鱼肉、甲壳类精选

PIQUES DE SAINT-JACQUES,
lomo et citron
柠檬里脊扇贝串

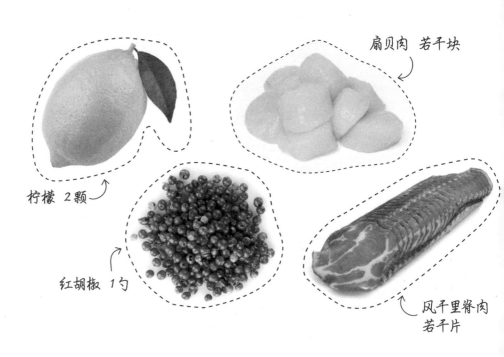

扇贝肉 若干块

柠檬 2颗

红胡椒 1勺

风干里脊肉
若干片

... ET AUSSI UN PEU DE
再加上：

橄榄油 3勺
盐、胡椒粉少许

腌泡时间：30分钟

C'EST PARTI ! 制作开始！

1 将扇贝肉洗净，用一块布小心将水吸干。

2 取1颗柠檬切片，另一颗榨汁。

3 按照扇贝肉、里脊肉和柠檬片的顺序串成串。

4 将柠檬汁、橄榄油混合，加入盐和胡椒粉制成腌泡汁。将烤串放入腌泡30分钟后取出，撒上红胡椒。将串串放在铁板或平锅上煎制6分钟。

TRIO DE POIVRONS,
gambas et aubergine
甜椒茄子明虾串

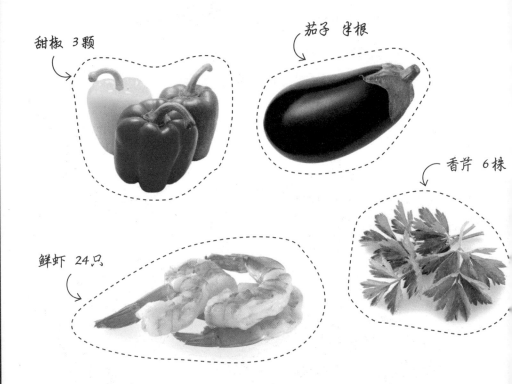

甜椒 3颗

茄子 半根

香芹 6株

鲜虾 24只

... ET AUSSI UN PEU DE

再加上：

橄榄油 50毫升
盐、胡椒粉少许

C'EST PARTI ! 制作开始!

1 茄子切块入锅，倒入橄榄油，煎5分钟。撒上盐和胡椒粉。将甜椒切块。

2 按照茄子、甜椒和虾的顺序串成串。撒上香芹末、盐和胡椒粉。

3 将串串放在铁板或烤架上加少量油烤制8~10分钟。如在铁板上烤，需要添加橄榄油。

BROCHETTES DE CALAMAR,
tomate et olives noires

番茄橄榄鱿鱼串

月桂叶 若干片

番茄 2个

鱿鱼圈 400克

去核黑橄榄 120克

... ET AUSSI UN PEU DE

再加上：

普罗旺斯混合香料 1勺
橄榄油 2勺

腌泡时间：30分钟

C'EST PARTI ! 制作开始!

1 往每个鱿鱼圈里面塞1块番茄丁。按照鱿鱼圈、橄榄和月桂叶的顺序串成串。

2 撒上盐、胡椒粉和普罗旺斯混合香料，浇上橄榄油，腌泡30分钟。

3 将串串放在烤架或铁板上烤制10分钟。

鱼肉、甲壳类精选

BROCHETTES DE CABILLAUD,
fenouil et olives vertes

茴香橄榄鳕鱼串

埃斯佩莱特辣椒粉 1小勺

茴香 1株

去核绿橄榄 120克

鳕鱼鱼背肉 600克

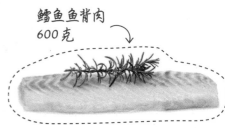

... ET AUSSI UN PEU DE

再加上：

橄榄油 1勺
普罗旺斯混合香料 1勺
盐、胡椒粉少许

C'EST PARTI！制作开始！

1 将鳕鱼肉切块。茴香切成方便串联的大小。

2 按照鳕鱼肉、茴香和橄榄的顺序串成串。撒上普罗旺斯混合香料、埃斯佩莱特辣椒粉、盐和胡椒粉。

3 将串串放在铁板或烤架上烤制8分钟，如用平锅煎制，需要添加橄榄油。

BROCHETTES DE SEICHE,
tomate et artichaut
番茄洋蓟乌贼串

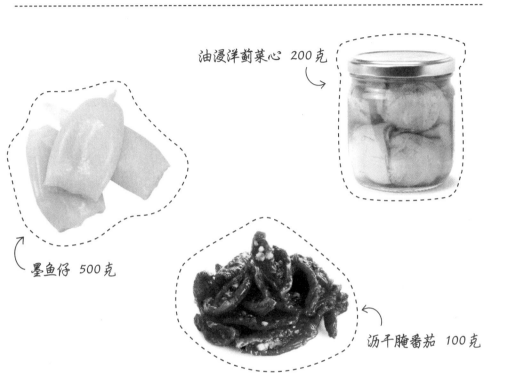

油浸洋蓟菜心 200克

墨鱼仔 500克

沥干腌番茄 100克

... ET AUSSI UN PEU DE

再加上：

洋葱 1个
普罗旺斯混合香料 1勺
盐、胡椒粉若干

C'EST PARTI ! 制作开始!

1 将洋蓟菜心切成4块，洋葱切成小块。

2 按照墨鱼仔、番茄、洋蓟菜心和洋葱的顺序串成串。撒上普罗旺斯混合香料、盐和胡椒粉。

3 将串串放在烤架或铁板上烤制10分钟。

SÉLECTION VÉGÉTARIENNE
蔬菜精选

BROCHETTES DE TOFU,
tomate et champignon

番茄口蘑豆腐串

口蘑 200克

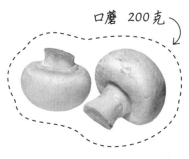

豆腐 200克

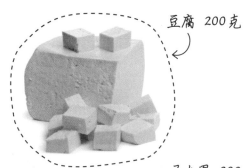

圣女果 300克

香芹 1小株

... ET AUSSI UN PEU DE

再加上：

橄榄油 3勺
盐、胡椒粉少许

腌泡时间：10分钟

C'EST PARTI !   制作开始！

1 将豆腐切块，口蘑切成4片。

2 将橄榄油和香芹末混合，制成腌泡汁。按照豆腐、圣女果和口蘑的顺序串成串后，腌泡10分钟。撒上盐和胡椒粉。将串串放在锅里煎5分钟，记得翻面。

BOULETTES VÉGÉTARIENNES
à l'aubergine

茄子面丸串

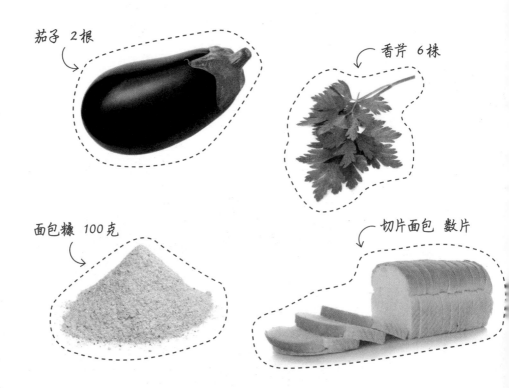

茄子 2根

香芹 6株

面包糠 100克

切片面包 数片

... ET AUSSI UN PEU DE

再加上：

鸡蛋 1枚
蛋黄 2颗
蒜 1瓣
面粉 50克
盐、胡椒粉少许

C'EST PARTI ! 制作开始!

1 将茄子放入烤箱预烤，温度调至200℃，1小时后取出，将其与鸡蛋、蒜瓣、香芹和吐司混合。撒上盐和胡椒粉。

2 将混合物搓成丸子，沾上面粉、蛋黄和面包糠。

3 将丸子一颗颗串成串，放入锅中煎制4分钟。

BROCHETTES DE POIVRON,
olives noires et fromage de brebis

奶酪橄榄甜椒串

巴斯克羊奶酪 (*Berger basque*) 180 克

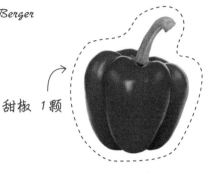

甜椒 1 颗

罗勒 1 株

黑橄榄 100 克

... ET AUSSI UN PEU DE

再加上：

盐、胡椒粉少许

C'EST PARTI ! 制作开始!

1 甜椒清洗后去皮、去籽、切块。将甜椒串起后，在烤架上烤制5分钟。

2 羊奶酪切块。

3 按照甜椒、奶酪和橄榄的顺序串成串。撒上罗勒末后，即可食用。

CONSEILS
小贴士

巴斯克羊奶酪为法国的一款著名奶酪，由母羊奶制成，可在大型精品超市买到。

蔬菜精选

75

ROULÉS D'AUBERGINE
à la brique de brebis et aux olives vertes

奶酪橄榄茄子串

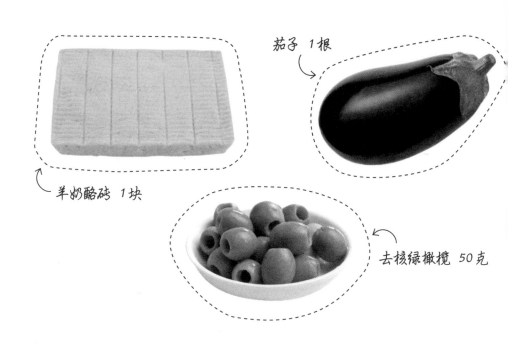

茄子 1根

羊奶酪砖 1块

去核绿橄榄 50克

... ET AUSSI UN PEU DE
再加上：

橄榄油 2勺
普罗旺斯混合香料 1勺
盐、胡椒粉少许

C'EST PARTI ! 制作开始!

1 将茄子切成带状，入锅，倒入橄榄油，煎制5分钟。撒上盐和胡椒粉。

2 奶酪砖切丁。将煎好的茄子切成2～3条，卷起奶酪丁。

3 将奶酪茄子卷和橄榄串成串。撒上普罗旺斯混合香料、盐和胡椒粉。再入锅煎制5分钟。

TRIO DE POIVRONS,
carotte chèvre cendré

奶酪胡萝卜甜椒串

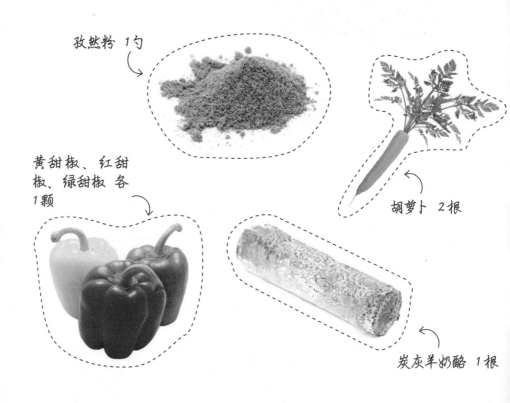

孜然粉 1勺

黄甜椒、红甜椒、绿甜椒 各1颗

胡萝卜 2根

炭灰羊奶酪 1根

... ET AUSSI UN PEU DE

再加上：

橄榄油 1勺
盐、胡椒粉少许

C'EST PARTI ! 制作开始！

1 将甜椒、胡萝卜和羊奶酪切成块。

2 按照甜椒、胡萝卜和奶酪块的顺序串成串。撒上孜然、盐和胡椒粉。入锅，倒入橄榄油，煎制8分钟。

CONSEILS 小贴士

如炭灰羊奶酪不好买到，可用其他奶酪代替。

准备时间　00:10　　　烹调模式　00:08

PIQUES DE BROCOLI,
tofu et champignons de Paris

口蘑豆腐西蓝花串

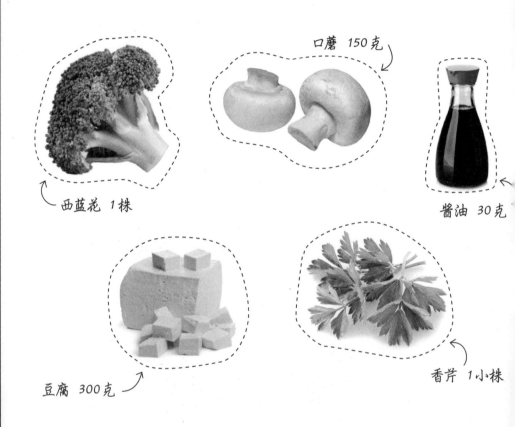

口蘑 150克

酱油 30克

西蓝花 1株

香芹 1小株

豆腐 300克

... ET AUSSI UN PEU DE

再加上：

蒜 1瓣

腌泡时间：15分钟

C'EST PARTI ! 制作开始!

1 将西蓝花清洗后切块。豆腐切块，口蘑切成四块。按照顺序将食材串成串。

2 将酱油、香菜和蒜瓣末混合，制成腌泡汁。将烤串放入，腌泡15分钟。

3 将串串入锅，倒入腌泡汁，煎制5分钟。

DÉS DE POMME DE TERRE,
oignon rouge et sirop d'érable
枫糖洋葱土豆串

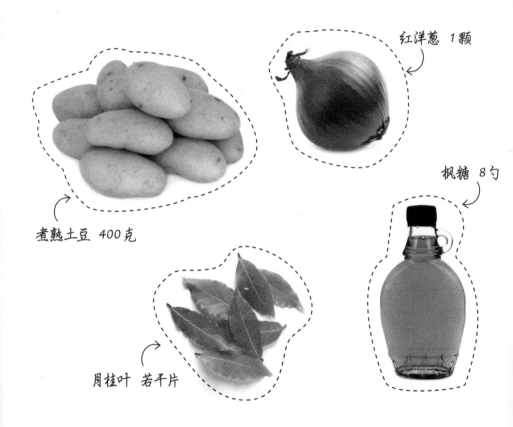

红洋葱 1颗

枫糖 8勺

煮熟土豆 400克

月桂叶 若干片

... ET AUSSI UN PEU DE

再加上：

盐、胡椒粉少许

腌泡时间：1小时

C'EST PARTI ! 制作开始!

1 将土豆切块，用枫糖腌泡1小时。撒上盐和胡椒粉。

2 洋葱切成圈，按照洋葱圈、土豆和两片月桂叶的顺序串成串。

3 将串串入锅，温火煎制10分钟。

CHOU-FLEUR À L'INDIENNE
et aubergine

印度咖喱菜花茄子串

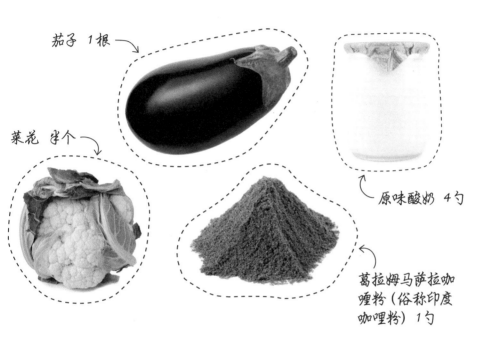

茄子 1根

菜花 半个

原味酸奶 4勺

葛拉姆马萨拉咖喱粉（俗称印度咖喱粉）1勺

... ET AUSSI UN PEU DE

再加上：

蒜 1瓣
盐、胡椒粉少许

腌泡时间：30分钟

C'EST PARTI ! 制作开始!

1 将菜花和茄子切块后串成串。

2 将酸奶、咖喱粉和蒜末混合，制成腌泡汁，撒上盐和胡椒粉。将烤串放入腌泡30分钟。

3 将串串入锅，温火煎制10分钟。

MAÏS MARINÉ
au piment d'Espelette et à la coriandre
香芹辣椒腌玉米串

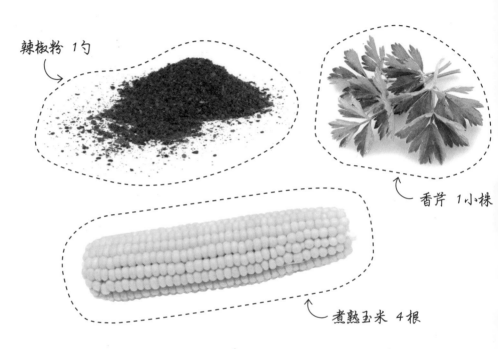

辣椒粉 1勺

香芹 1小株

煮熟玉米 4根

... ET AUSSI UN PEU DE
再加上：

橄榄油 200毫升
蒜 1瓣

腌泡时间：1小时

C'EST PARTI ! 制作开始!

1 将橄榄油、辣椒粉、蒜和香芹末混合，制成腌泡汁。

2 将玉米腌泡1小时。

3 将腌泡好的玉米放进烤箱、锅里或放在烤架上烤制5~10分钟，期间需不时翻转玉米。

FLEURS DE POIVRON
au pesto
香蒜甜椒多彩花形串

黄甜椒 1颗

绿甜椒 1颗

罗勒 1株

红甜椒 1颗

... ET AUSSI UN PEU DE
再加上：

蒜 1瓣
橄榄油 200毫升
盐、胡椒粉少许

C'EST PARTI！制作开始！

1 将罗勒、蒜瓣、橄榄油、盐和胡椒粉混合，制成香蒜酱。

2 将甜椒切片后，按大小顺序一圈套一圈，卷出花朵的形状后串成串。

3 将串串涂上香蒜酱，在锅里或烤架上烤制5分钟，途中记得翻面。

PIQUES SUCRÉES

甜点小串

GRILLADES DE MARSHMALLOW
fraise et chocolat

巧克力草莓棉花糖串

草莓　若干颗

黑巧克力　150克

棉花糖　若干颗

... ET AUSSI UN PEU DE

再加上：

稀奶油　150克

POUR SERVIR　招待来客

撒上薄荷叶，口味更佳。

C'EST PARTI！制作开始！

1 将草莓洗净、小心沥干水。

2 用木签顶端将棉花糖串起，在烤架上预烤。

3 将棉花糖和草莓串成串。

4 将巧克力融化后，和稀奶油混合，制成蘸酱，涂在烤串上。

MANGUE ET ANANAS RÔTIS
à la noix de coco

椰蓉芒果烤菠萝串

芒果 2颗

椰蓉 100克

菠萝 1只

... ET AUSSI UN PEU DE

再加上：

糖 50克
黄油 30克

C'EST PARTI ！ 制作开始!

1 将菠萝切块，芒果去皮、切块。

2 将芒果和菠萝串成串。

3 将糖炒至焦糖化后，加入黄油。将烤串放入锅内，煎制3～4分钟。最后撒上椰蓉，趁热食用。

POMMES CARAMÉLISÉES,
spéculoos et bonbons au Carambar®

饼干焦糖拔丝苹果串

Carambar 糖果 (一种著名的法国软糖) 3 颗

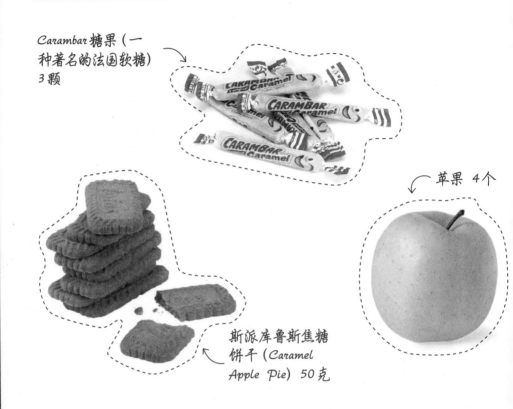

苹果 4 个

斯派库鲁斯焦糖饼干 (*Caramel Apple Pie*) 50 克

... ET AUSSI UN PEU DE
再加上:

黄油 40克

C'EST PARTI ! 制作开始!

1 将苹果去皮、去核, 切成4块后, 用竹签串成串。

2 黄油入锅融化, 加入 Carambar 糖果, 等其完全溶解后放入苹果串。将糖汁涂在串上, 煎制2分钟。

3 串串出锅后撒上焦糖饼干碎末, 趁热食用。

PIQUES DE FIGUE,
poire et sirop d'érable
枫糖鸭梨无花果串

枫糖浆 100克

鸭梨 2个

熟透无花果 4颗

... ET AUSSI UN PEU DE
再加上：

黄油 30克

C'EST PARTI ! 制作开始！

1 将无花果去茎，无需去皮，每颗无花果切成4块。鸭梨去皮、去核，切成4块。

2 将无花果和梨块串成串。

3 黄油入锅，加热融化后倒入枫糖浆，一起煮5分钟。将串放入，再煮2分钟，需规律翻面。

甜点小串

DUO DE FRUITS ROUGES,
kiwi et sauce au chocolat

巧克力奇异果双莓串

草莓 200克

白巧克力 150克

奇异果 4个

树莓 200克

... ET AUSSI UN PEU DE

再加上：

稀奶油 150克

C'EST PARTI ! 制作开始！

1 奇异果去皮、切块。

2 待奶油冷却，撒上白巧克力碎末，小火煮5分钟，制成白巧克力酱。

3 按照奇异果、草莓和树莓的顺序串成串，涂上巧克力酱后尽快食用。

BROCHETTES DE BANANE
et ananas au caramel

焦糖菠萝香蕉串

香蕉 2根

菠萝 半个

糖 150克

... ET AUSSI UN PEU DE

再加上：

黄油 50克

C'EST PARTI ! 制作开始！

1 将香蕉和菠萝去皮、切块后，交错串成串。

2 将糖倒入锅中煮5分钟焦化，加入黄油。将串放入焦糖中煮3～5分钟。

 VARIANTE 其他做法

也可搭配巧克力酱直接吃。

PIQUES DE POIRE ET ANANAS
à la vanille
香草鸭梨菠萝串

香草荚 1根

鸭梨 4个

菠萝 半个

... ET AUSSI UN PEU DE

再加上：

糖 150克
黄油 60克

C'EST PARTI ! 制作开始！

1 将鸭梨去皮、去核后切成4块。菠萝去皮、切块。香草荚取出香草籽。

2 将鸭梨和菠萝交错串成串。

3 温火将糖煮至焦黄后，加入黄油和香草籽，不停搅拌。将糖浆涂在水果串上，尽快食用。

DUO D'ABRICOTS AU BASILIC
et au fromage blanc

白奶酪香草杏干串

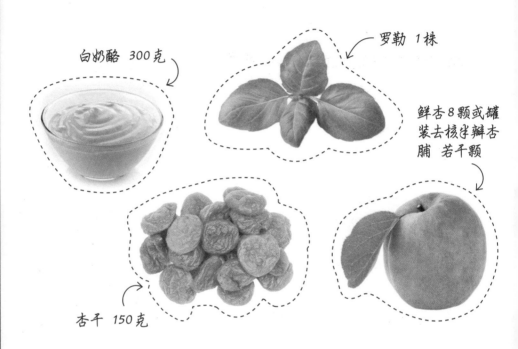

白奶酪 300克

罗勒 1株

鲜杏8颗或罐装去核半瓣杏脯 若干颗

杏干 150克

... ET AUSSI UN PEU DE

再加上：

糖 3勺

C'EST PARTI！ 制作开始！

1 将鲜杏去核，从顶部切开使其呈郁金香状。

2 按照鲜杏、杏脯和香草叶的顺序串成串。

3 将罗勒末、白奶酪和糖混合，制成蘸酱，搭配杏串即可食用。

MILLE-FEUILLES DE POMMES
poires et cannelle

肉桂鸭梨苹果千层串

苹果 3个

鸭梨 3个

肉桂粉 1勺

... ET AUSSI UN PEU DE

再加上：

糖 100克
黄油 50克

C'EST PARTI ! 制作开始！

1 将苹果和鸭梨去皮、切成4块后切薄片，交错串起。

2 温火将糖煮至焦黄后，加入黄油，搅拌均匀。将千层串放入糖浆中煮2分钟，期间不要忘记翻转。2分钟后，出锅，撒上肉桂粉，温热皆宜食用。

 POUR SERVIR 招待来客

可与香草冰淇淋或杏仁冰淇淋搭配食用。

4
甜点小串

BROCHETTES DE PAIN PERDU
à la fleur d'oranger
橙花吐司串

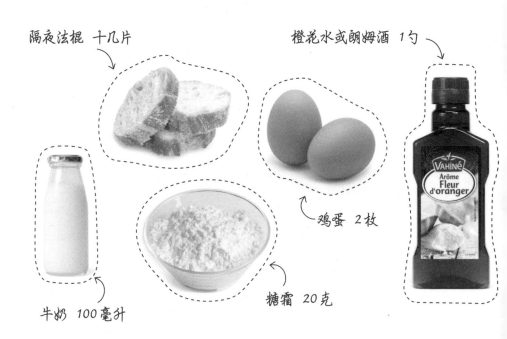

隔夜法棍 十几片

橙花水或朗姆酒 1勺

鸡蛋 2枚

糖霜 20克

牛奶 100毫升

... ET AUSSI UN PEU DE
再加上：

糖 60克
黄油 50克

C'EST PARTI ! 制作开始!

1 将牛奶、鸡蛋和糖打在一起，加入橙花水或朗姆酒，搅拌均匀。

2 用第一步准备好的酱汁浸泡法棍面包片，取出后用竹签串成串，在融化的黄油里煎5分钟。

3 撒上糖霜，即可食用。

CONSEILS
小贴士

使用橙花水是起增香的作用。

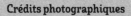

Crédits photographiques

© Larousse : 10 (d), 11 (b, e), 34 (a), 40 (c), 52 (a), 53 (b), 58 (e), 70 (c), 78 (d), 80 (c), 90 (a, b), 100 (e).

©Shutterstock:8(b,c),9(e,f),10(a,b),11(c),14(a,b),16(c),17(a,e),18(a,b,d),24(a),26(c),28(a),30(c),32(b,d),33(b,c),38(a,c),40(a),42 (b),44(d),45(b),46(d),50(d),52(c,d),58(a,c,d),59(a),60(a,e),62(a),66(c),70(b,d),72(b),74(b),75(b),76(a,d),78(b,c,e),80(d), 84 (b, c), 91 (c), 92 (b), 95 (a), 96 (a, c), 100 (a).

©Thinkstock: 2 (a, b, c, d), 4 (a, b, c), 5 (a, b, c), 8 (a, d, e, f), 9 (a, b, c, d), 10 (a, c, e, f), 11 (a, d), 12 (a, b, c, d), 14 (c), 16 (a, b, d), 17 (b, c, d), 18 (c), 20 (a, b, c, d), 22 (a, b, c, d), 24 (a, b, d), 25 (a, b, c, d), 26 (a, b), 28 (b, c, d), 30 (a, b, d, e), 32 (a, c), 33 (a, d), 34 (b, c), 36 (a, b, c, d), 38 (b), 40 (b), 42 (a, c, d), 44 (a, b, c), 45 (a, c, d), 46 (a, b, c, d), 48 (a, b, c, d), 50 (a, b, c), 52 (b), 53 (a, c), 54 (a, b, c, d), 56 (a, b, c, d, e), 58 (b), 59 (b, c, d), 60 (b, c, d), 62 (b, c), 64 (a, b, c, d), 65 (a, b, c, d), 66 (a, b, d), 68 (a, b, c), 70 (a), 72 (a, c), 74 (a, c, d), 75 (a, c, d), 76 (b, c), 78 (a), 80 (a, b), 82 (a, b, c, d, e), 84 (a), 86 (a, b, c), 88 (a, b, c), 90 (c), 91 (a, b), 92 (a, c, d), 94 (a, b, c), 95 (b, c), 96 (b, d), 98 (a, b, c), 100 (b, c, d).